Easy Persian

Book 2

Dr. Alaeddin Pazargadi

پازارگادی، علاءالدین، ۱۲۹۲ - ۱۳۸۳ .
فارسی آسان: کتاب دوم/ تألیف علاءالدین پازارگادی؛ طراحی و صفحه‌آرایی سارا نامجو؛ ۱۳٤۹ - -
تهران: رهنما، ۱۳۸۵.
۹۷ ص.: مصور، جدول.
ISBN 964-367-202-6
فهرستنویسی براساس اطلاعات فیپا.
عنوان دیگر: فارسی آسان (کتاب دوم).
ص.ع. به انگلیسی: Alaeddin Pazargadi. Easy Persian: Book2.
۱. فارسی - - کتاب‌های درسی برای خارجیان - - انگلیسی. ۲. فارسی - - راهنمای آموزشی - - خارجیان. ۳. فارسی - - مکالمه و جمله‌سازی - - انگلیسی. ٤. فارسی - - راهنمای آموزشی. الف. عنوان.
PIR ۲۸۲۹/ ۲۵۳پ۸الف ۸/۲٤۲۱فا٤
کتابخانه ملی ایران ۸۵-۱٦۷۸۸م

P.O. Box: 13145/1845-Tel: (021) 66416604-66400927-66481662

فارسی آسان (کتاب دوم) ، مؤلف: دکتر علاءالدین پازارگادی، لیتوگرافی: واصف، چاپ: چاپخانه هاتف، تیراژ: ۲۲۰۰ نسخه، چاپ اول: تابستان ۱۳۸۵، ناشر: انتشارات رهنما، مقابل دانشگاه تهران، خیابان فروردین، نبش خیابان شهدای ژاندارمری، پلاک ۲۲۰، تلفن: ۶۶۴۰۰۹۲۷ ، ۶۶۴۱۶۶۰۴ ، ۶۶۴۸۱۶۶۲ ، فاکس: ۶۶۴۶۸۱۹۴
فروشگاه رهنما، سعادت‌آباد، خیابان علامه طباطبایی جنوبی، پلاک ۸ ، تلفن: ۸۸۶۹۴۱۰۲ ، شماره تلفن فروشگاه شماره ۴: ۶۶۴۱۶۴۳۲ ، نمایشگاه کتاب رهنما، مقابل دانشگاه تهران پاساژ فروزنده، تلفن: ۶۶۹۵۰۹۵۷
شابک: ۶-۲۰۲-۳۶۷-۹۶۴

حق چاپ برای ناشر محفوظ است

قیمت: ۱۵۰۰۰ ریال

2

Part Two

Note for the teacher

In part two the lessons are based on what is taught in part one, and every lesson begins with the oral teaching of the vocabulary needed for that lesson by various audio-visual means such as objects, pictures and drawings, whiteboard illustrations, and for stress and intonation of sentences with the aid of cassetes, and a change of voice by the teacher for emphasing a point in a sentence.

The lesson continues with reading practice and oral questions and answers, and is followed by writing exercises. In this phase, too, frequent repetition of words and sentences and reviews (both oral and written) is necessary to lay a firm foundation for dialog, silent and loud reading and proper writing.

The students should be encouraged to answer questions not

only in a short form, but also with complete sentences . They should be helped to ask questions and engage in dialog between teacher and students and between students themselves. A small part of the time in each lesson should be devoted to a brief review of what is taught in the previous lesson, and after every five lessons a test based on them could be propared and given to the students to evaluate the progress of the class.

The class work should be full of activity, movement and bodily and mental activity and healthy competition and enjoyment.

درس یکم

Classroom and student equipment

In a Persian sentence the verb comes last, preceded by subject, object and other necessary parts: e.g.

این	کتاب است.
subject	predicate

شما	کتاب را	به من	دادید.
subject	direct object	indirect object	verb

Most of the following words have been introduced in part one:

table	miz	میز
chair	sandali	صندلی

bench	nimkat	نیمکَت
whiteboard	takhte	تخته
pencil	medād	مداد
pen	ghalam	قَلَم
notebook	daftar	دَفتر
book	ketāb	کِتاب
paper	kāghaz	کاغَذ
bag	kif	کیف
this	in	این
that	ān	آن
yes	bale	بَله
no	na	نه
is	ast	است
is not	nist	نیست
or	yā	یا
what is	chist	چیست؟
used to begin a question	āyā	آیا

When a sentence begins with آیا the verb does not take a question

form

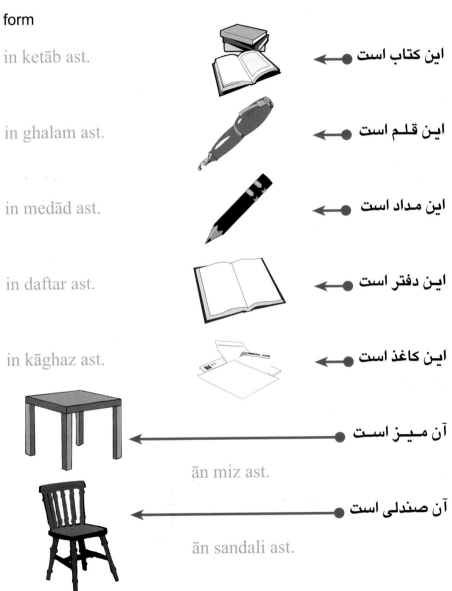

in ketāb ast.   این کتاب است

in ghalam ast.   این قلم است

in medād ast.   این مداد است

in daftar ast.   این دفتر است

in kāghaz ast.   این کاغذ است

آن میز است

ān miz ast.

آن صندلی است

ān sandali ast.

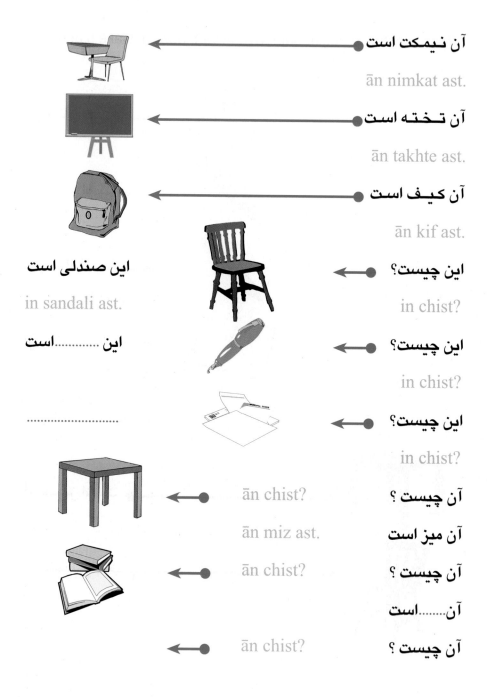

آن نیمکت است

ān nimkat ast.

آن تـخـتـه است

ān takhte ast.

آن کیـف است

ān kif ast.

این صندلی است

in sandali ast.

این چیست؟

in chist?

این ....است

این چیست؟

in chist?

....

این چیست؟

in chist?

ān chist?

آن چیست ؟

ān miz ast.

آن میز است

ān chist?

آن چیست ؟

آن........است

ān chist?

آن چیست ؟

....

آیا این کتاب است؟

āyā in ketāb ast?

بله این کتاب است.

bale in ketāb ast.

آیا این تخته است؟

āyā in takhte ast?

.... است.

آیا آن قلم است؟

āyā in ghalam ast?

نه آن قلم نیست.

na ān ghalam nist.

آیا آن میز است؟

āyā ān miz ast?

..............نیست.

آیا آن کاغذ است یا کتاب؟

āyā ān khāghaz ast yā ketāb?

این کاغذ نیست، کتاب است.

in kāghaz nist, ketāb ast.

Exercises

Exercies 1

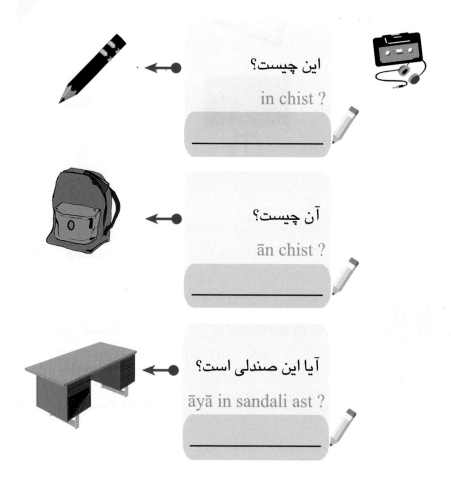

این چیست؟

in chist ?

_____

آن چیست؟

ān chist ?

_____

آیا این صندلی است؟

āyā in sandali ast ?

_____

آیا این قلم است یا کتاب؟

āyā in ghalam ast yā ketāb?

_____

Exercies 2 Ask the question for each answer and write it down:

in kāghaz ast. این کاغذ است.

_____

ān sandali ast. آن صندلی است.

_____

bale, in medād ast. بله، این مداد است.

_____

na, ān ketāb nist. نه، آن کتاب نیست.

_____

نه آن میز نیست. آن صندلی است.

na, ān miz nist . ān sandali ast.

_____

درس دوم

Prepositions

To show the use of prepositions the teacher stands behind the table and says:

man poshte miz hastam.	من پُشت میز هستم.
hālā man joloye miz hastam.	حالا من جلو میز هستم.
va joloye shomā.	وجلو شما.
shomā ham joloye man hastid.	شما هم جلو من هستید.
hālā man kenāre miz hastam.	حالا کنار میز هستم.
in ketābe man ast.	این کتاب من است.
ān rā ruye miz migozāram.	آن را روی میز می‌گذارم.

حالا کتاب روی میز است و قلم من روی کتاب است.

hālā ketāb ruye miz ast va ghalame man ruye ketāb ast.

کتاب زیر قلم است و میز زیر کتاب.

ketāb zire ghalam ast va miz zire ketāb.

match	kebrit	کبریت
where	kojā?	کجا
notebook	ketābche	کتابچه
behind	posht	پشت
in front of	jolo	جلو
beside	kenār	کنار
too	ham	هم
and	va	و
on	ruye	روی
under	zire	زیر
big, large	bozorg	بزرگ
small	kuchak	کوچک
how many?	chand?	چند؟

این + جا = این جا

▼   ▼   ▼

here   place   this

آن + جا = آن جا

▼   ▼   ▼

there   place   that

این جا یک میز است.

injā yek miz ast.

آن جا هم یک میز است.

ānjā ham yek miz ast.

این میز بزرگ است و آن میز کوچک است .

in miz bozorg ast va ān miz kuchak ast.

روی ِ میز بزرگ یک کتاب است و روی ِ کتاب یک قلم.

ruye mize bozorg yek ketāb ast va ruye ketāb yek ghalam.

زیر ِ قلم یک کتاب است وَ زیر ِ کتاب یک میز است.

zire ghalam yek ketāb ast va zire ketāb yek miz ast.

روی ِ میز کوچک چند تا کتاب است؟   ruye miz chand tā ketāb ast?

Notice the e sound after the words  روی ِ and زیر ِ

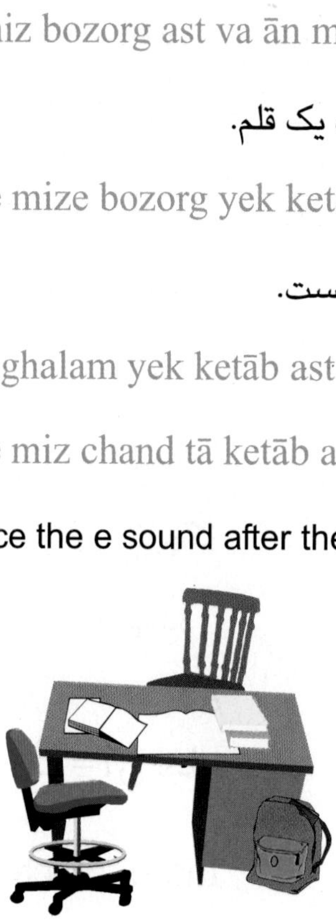

این جا چیست ؟

.... یک میز بزرگ.............

روی میز چیست ؟

.... وَ ....

پُشت میز چیست؟

.................................است

صندلی کجا است؟

....

آیا یک صندلی جلو میز است ؟

بله ....

کیف کجا است؟

....

آیا کنار میز صندلی است؟

نه ، .... نیست.

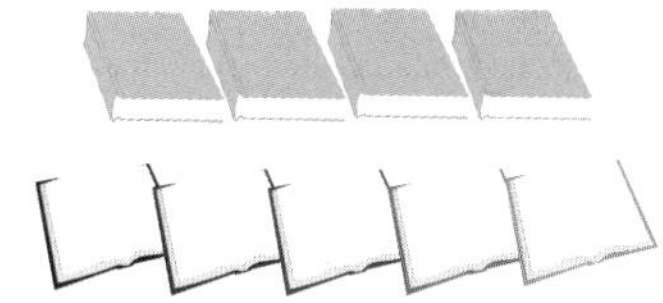

این جا چهار کتاب و پنج دفتر است .

دَفتر = کِتابچه

آن جا چیست؟

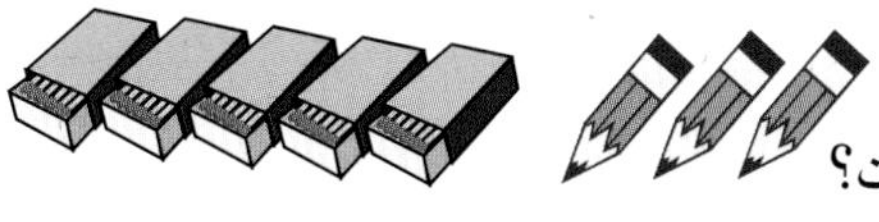

آن جا چند مداد است و چند کبریت؟

With the word چند (how many) the noun remains singular (unlike English) and the verb remains positive such as:

آن جا چند کبریت است؟

The question may also begin with آن جا e.g.

آن جا چند کبریت است؟

The word چَند تا may either be used as a question, meaning How many? or positively meaning 'a few'

Between a proposition and noun the vowel sign (اِ) ـِ is used e.g.

کنارِ تخته جلوِ شما زیرِ کتاب رویِ میز

Exercises

Exercies 1 Fill in the blank spaces:

.............روی..........................

صندلی ....

زیر ....

.........................صندلی ....

آن جا......................................

این جا......................... و ....

آن جا .... کِنار ....

آن جا .... است.

Exercies 2 Make questions for exercies 1 (for short کجاست)

.... کجاست ؟

آیا ....

چَند تا ....

چَند قلم ....

آیا .... پُشت ....

کنار ....چیست ؟

کاغذ.................................... ؟

درس سِوّم

Verb to be بودن

New words to be taught :

I am	hastam	هَستم
you are (singular)	hasti	هَستی
he is, she is, it is	hast	هَست
we are	hastim	هَستیم
you are	hastid	هَستید
they are	hastand	هَستند
picture	aks	عَکس
person	nafar	نَفَر
plural suffix	hā	ها
these	inhā	اینها
those	ānhā	آنها
too	ham	هَم

The teacher begins by saying:

من معلّم هستم.

man mo'alem hastam.

هستم

معلّم فارسی هستم.

mo'alem fārsi hastam.

هستی

تو شاگرد هستی.

to shāgerd hasti.

هست

او شاگرد است.

u shāgerd ast.

هستیم

ما در این کلاس هستیم.

mā dar in kelās hastim.

هستید

شما شاگرد این کلاس هستید.

shomā shāgerd in kelas hastid.

این یک عکس است، عکس قفسه کتاب .

ketābha kojā hastand? کتاب‌ها کجا هستند؟

ānhā dar ghafase hastand. آنها در قفسه هستند.

ketābhāye ghafase yek chand tāst? کتابهای قفسه ۱ چندتا هست؟

ketābhāye ghafase do chand tāst? کتابهای قفسه دو چند تا هست؟

The suffix ها is used to make a noun plural such as کتاب‌ها (written togetherکتاب‌ها) or میزها (tables) when this suffix is added to the pronoun این and آن they take this form این‌ها (these) and آن‌ها (those).

in aks chist? این عکس چیست؟

akse kelāse dars ast. عکس کلاس درس است.

nafare joloye takhte kist? نَفَر جلو تخته کیست؟

u mo'alem kelas ast. او مُعلّم کلاس است.

ānhā ruye nimkat ki hastand. آن‌ها روی نیمکت کی هستند؟

ānhā shāgerd kelas hastand. آن‌ها شاگرد کلاس هستند.

mo'alem inhā kojā hast? معلم اینها کجا هست؟

u kenār miz va joloye takhte ast.. او کنار میز و جلو تخته است

شما کجا هستید؟ shomā kojā hastid?

.... جِلو ....

من کجا هستم؟ man kojā hastam?

....هَستید.

آیا من معلم هستم؟ āyā man mo'alem hastam?

بله ....

آیا من شاگرد هستم؟ āyā man shāgerd hastam?

نه.......... ....نیستید.

آیا او شاگرد است ؟ āyā u shāgerd ast?

....است.

آیا شما شاگرد هستید یا معلم؟ āyā shomā shāgerd hastid yā mo'alem?

ما ....هستیم.

در این عکس چند نفر معلم هست؟ dar in aks chand nafar mo'alem hast?

یک نفر........................... .

در این عکس چند نفر شاگرد هست؟ dar in aks chand nafar shāgerd hast?

در این عکس........................ .

Exercises

Exercies 1 Answer the questions:

آن‌ها چند نفر هستند؟

آن‌ها کجا هستند؟

آیا آن‌ها پنج نفر هستند؟

این‌ها چند نفر هستند؟

این‌ها کجا هستند؟

آیا این‌ها دو نفر هستند یا سه نفر؟

Exercies 2 Answer these questions :

در کلاس شما چند نفر شاگرد هستند؟

نام معلم شما چیست؟

آیا او معلم فارسی شما هست یا انگلیسی؟

آیا شما شاگرد فارسی او هستید یا انگلیسی؟

Exercies 3 Make questions for these answers :

نام من علی است.

آن‌ها در قفسه هستند.

نه ، این‌ها معلم نیستند.

بله، ما شاگردان او هستیم.

بله ، کلاس خوبی است.

آن‌ها روی میز هستند.

نه ، او این جا نیست.

درس چهارُم

Verb to have داشتَن dāshtan

As you saw in lesson 3, these suffixes in red join the root of averb to show the singular and plural form of the verb to be:

I am	hastam	هستم
you are (singular)	hasti	هستی
he, she, it is (with no suffix)	hast	هست
we are	hastim	هستیم
you are (both singuler and plural)	hastid	هستید
they are	hastand	هستند

The same kinds of suffixes are used for the verb to have as well as all other verbs of various tenses.

I have	dāram	دارَم
you have (singular)	dāri	داری
the, she, it has	dārad	دارَد

we have	dārim	داریم
you have (singular and plural)	dārid	دارید
they have	dārand	دارَند

Unike the verb to be, the third person singular of the verb داشتن takes the suffix دـ

The pronouns آن ها ، شُما ، ما ، او ، تو ، مَن which are used as the subjects of a sentence, are also used as possessive adjectives to mean: my, your (singular) his, her, our, your (plural) and their, by adding 'e' sound between a noun and possesseve adjective. For example:

kelāse mā	کلاس ما
sandali shomā	صندلی شُما
medāde u	مداد او
daftare to	دفتر تو
ketābe man	کتاب مَن
nimkate ānha	نیمکت آن ها

این مداد تَراش است.

in medād tarāsh ast.

آیا شما مداد تراش دارید؟

āyā shomā medād tarāsh dārid?

بله، این مداد تراشِ من است.

bale , in medād tarāshe man ast.

آن یک خط کِش است.

ān yek khatkesh ast.

من خط کش ندارم،آیا او دارد؟

man khatkesh nadāram, āyā u dārad?

بله، این خط کش اواست.

bale, in khatkeshe u ast.

کتاب فارسی شما کجا اَست؟

ketābe fārsiye shomā kojā ast?

اینجاست . این کتاب فارسیِ من است.

injāst, in ketābe fārsiye man ast.

The word هم means too

mā ham ketābe fārsi dārim.   ما هَم کتاب فارسی داریم.

in ketābe fārsiye mā ast.   این کتاب فارسی ما است.

in do ketāb, che ketābi hastand.   این دو کتاب چه کتابی هستند؟

yek ketābe fārsi ast.   یک کتاب فارسی است.

va nāme ān shāhnāmeh ast.   وَ نام آن شاهنامه است.

یک کتاب انگلیسی است و نام آن **Dictionary** است.

yek ketābe engelisi ast va nāme ān diksheneri ast.

آن کتاب، کتاب من واین کتاب، کتاب اَحمد است.

ān ketāb, ketābe man va in ketāb, ketābe ahmad ast.

man ghalam dāram. medād nadāram.   من قَلَم دارم. مداد ندارم.

shomā medād dārid . ghalam nadārid.   شما مداد دارید. قَلَم ندارید.

u chetor?   او چطور؟

The word " او چطور " means how about him

u ham ghalam nadārad, medād dārad.   او هم قلم ندارد، مداد دارد.

این اتاق دو پنجره و یک در دارد.

in otāgh do panjere va yek dar dārad.

kelāse mā chand panjere dārad?   کلاسِ ما چند پنجره دارد؟

Exercises

Exercies 1 Answer these questions:

۱- شما چند کتابچه دارید؟

۲- آیا کلاس شما سه پنجره دارد؟

۳- نام کتاب فارسی شما چیست؟

۴- من یک خط کش دارم ، شما چطور؟

۵- آیا شاگردها میز دارند؟

Exercies 2 Make questions for these answers:

این کبریت است.

آن کیف روی میز است.

بله ، این مَداد تَراش من است.

نه ، آن خط کش من نیست.

مَن ندارم.

؟

_____

_____

_____

_____

_____

Exercies 3 Complete these sentences:

۱- شما سه ....

۲- .... یک .... و دو ....

۳- .... و .... ندارند.

۴- بله، .... هم .... داریم .

۵- کتاب‌ها .... ؟

imperative امر amr

In Persian the imperative verb in singular is used in three ways:

a) to give order

b) to request in a friendly way

c) to pray

The meaning of each of the above cases is made clear by the tone of voice and expresstion of the face. The same point is true of the use تو for singular second person. When we wish to address one person more politely, we use the plural pronoun شُما as well as a plural verb to go with it. In persian the imperative is made will the sound بِ and the infinitive root of the verb that is needed, such as the following examples:

singular		plural	by adding to the singular form :
stand up	beist بِایست	بِایستید	ید
sit down	benshin بِنشین	بِنشینید	ید
go	boro بُرو	بِروید	ید
come	biyā بیا	بیایید	ید
read	bekhān بِخوان	بِخوانید	ید
write	benevis بِنویس	بِنویسید	ید
give	bede بِدِه	بِدَهید	ید
take	begir بِگیر	بِگیرید	ید
open	bāz kon باز کُن	باز کنید	ید
shut	beband بِبَند	بِبَندید	ید
bring	biyāvar بیاوَر	بیاوَرید	ید

In the word بِخوان the letter و is mute.

The teacher reads out each word in singular and plural and asks

the students to repeat them.

Then he points to a student and speaks as follows:

hasan, beist.

حَسَن، بایست.

biyā injā ketāb rā biyāvar.

بیا اینجا کتاب را بیاور.

ruye sandaliye man benshin.

روی صندلی من بنشین.

ketāb rā bāz kon, safheye 21.

کتاب را باز کن، صفحه ۲۱.

(writes 21 on whiteboard)

az injā bekhān.

از اینجا بخوان. (شاگرد می خواند)

khub ast. hālā boro benshin .

خوب است. حالا برو بنشین.

hālā shomā do nafar biyāid injā.

حالا شما دو نفر بیایید اینجا.

(then he calls two others)

beravid kenāre takhte.

بروید کنار تخته.

تو نام خود را بنویس. نام کوچک روی خط. آن را بخوان.

nāme khod rā benevis

تو هم نام خود را بنویس. خوب است. آن را بخوان.

to ham nāme khod rā benevis.

beravid o benshinid. mamnunam.

بروید و بنشینید. ممنونم .

thank you

hālā shomā se nafar biāyid injā.

حالا شما سه نفر بیایید اینجا.

تو مداد را از نفر اول بگیر. خوب، حالا مداد را به نفر سوم بده.

to medād rā az nafar avval begir. khob, hālā medād rā be nafar sevom bede.

تو هم مداد را از نفر دوم بگیر. حالا مداد را به من بده .

to ham medād اول az nafar dovom begir.hālā medād rā be man bede.

حالا تو مداد خود را از من بگیر. ممنونم.

hālā to medāde khod rā az man begir. mamnunam.

شما سه نفر بروید و بنشینید.

shomā se nafar beravid va benshinid.

The teacher explains khod خود meaning self or my

کتاب خود مداد خود کیفِ خود

Then he explains rā را as a sign of direct object

کتب را بیاور مداد را بده خط کش را بگیر

Then he explains az از From از من بگیر and be به to به او بده

Exercises

Exercies 1   Change these sigular sentences into plural, by changing all the underlined words :

۱- برو و کتاب را بیاور.

۲- بیا و قَلَم را بگیر.

۳- تو پنجره را ببند.

۴- نام او را بنویس.

۵- مداد تراش را به من بده.

Exercies 2   Change these plural sentences into sigular , by changing all the underlined words :

۱- شما بنشینید.

۲- کتاب‌ها را به آن‌ها بدهید.

۳- دفترها را از ما بگیرید.

۴- در های اتاق‌ها را ببندید.

۵- شما این‌ها را بخوانید.

Exercies 3 Complete the following sentences:

۱- .... را .... او بده

۲- مداد .... از .... بگیر

۳- .... صندلی ....

۴- .... را بنویس

۵- .... خود .... بیاور

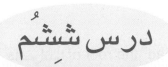

درس شِشُم

Present tense زمان حال

In Persian simple present tense is formed in this way:

می + ریشه فعلی + پَسوندهای فعلی

Mi + root of verb + suffix of verb

For example for the verb raftan رفتن (to go) the present tense for the six singular and plural persons are:

	singular		Plural	
first person	miravam	می روم	miravim	می رویم
second person	miravi	می روی	miravid	می روید
third person	miravad	می‌رود	miravand	می‌روند

You can use this formula for all other verbs by using the infinitive root for example:

for the verb “to do” the root of کَردَن is کُن

For the verb “to read” the root of خواندن is خوان

so the second person is میخوانی

For the verb “to write” the root of نوشتن is نویس

so the third person is مینویسد

For the verb “to give” the root of دادن is دِه

so the first person plural is میدَهیم

For the verb “to take” the root گرِفتن of is گیر

so the second person plural is میگیرید

For the verb “to go” the root رَفتَن of is رو

so the third person plural is میرَوَند

کار = work

من چه میکنم ؟ من کار میکنم.

man che mikonam? man kār mikonam.

همه = all

تو هم کارمیکنی . همه شاگردان کار میکنند.

to ham kār mikoni. hameye shāgerdān kār mikonand.

در این کلاس ما فارسی میخوانیم.

dar in kelās mā fārsi mikhānim.

من فارسی یاد می‌دهم. یاد دادن = to teach

man fārsi yād midaham.

شما فارسی یاد می گیرید. یاد گرفتن = to learn

shomā fārsi yād migirid.

او فارسی می‌خواند و می‌نویسد.

u fārsi mikhānad va minevisad.

آن ها چه می‌کنند؟آن‌ها فارسی می‌خوانند و می‌نویسند.

ānhā che mikonand?

ānhā fārsi mikhānand va minevisand.

این اعداد را بنویسید: اعداد = numbers

پانصد چهارصد سیصد دویست صد

۵۰۰ ۴۰۰ ۳۰۰ ۲۰۰ ۱۰۰

sad devist sisad chārsad pānsad

100 200 300 400 500

حالا آن‌ها را بخوانید: چه می‌کنید؟

تو این عَدَد را بخوان: ۲۰۵.

تو این یکی را بخوان: ۱۱۸. عد د = number

شما این یکی را : ۳۵۹ و شما این یکی را : ۴۲۵.

تو این را بنویس : ۵۲۰ و بخوان .

خوب است   آفرین Well - done

حالا تمرین‌ها را می‌خوانیم و می‌نویسیم .   تمرین = exercise

To make the verbs negative, We add the prefix ن to it :

نِمی خوانم – می خوانم   نِمی رَوَم – می رَوَم

نَمی کُند – می کُند   نِمی دَهَد – می دَهَد

Exercises

Exercies 1 Answer these questions orally:

۱- پُشت میز کیست؟

۲- او چه می‌کند؟

۳- کنار تخته کیست؟

۴- او چه می‌کند؟

۵- شاگردان چه می‌کنند؟

Exercies 2 Write down the answers:

Exercies 3 Answer these questions :

۱- آیا شما یاد می‌دهید یا یاد می‌گیرید؟

۲- کی یاد می دهد؟   کی = who

۳- کی یاد می‌گیرد؟

۴- چه یاد می‌گیرید؟

Exercies 4 Complete these sentences:

۱- .... می‌گوید بیا ....

۲- در این .... فارسی ....

۳- آن .... در دَفتر ....

۴ - بله .... فارسی .... می‌دهد

۵- نه ، .... فارسی ....نمی‌دهید

درس هَفتُم

Language زَبان

letter	harf	حَرف
letters	huruf	حُروف
word	kalame	کلمه
words	kalamāt	کَلِمات
sentence	jomle	جُمله
sentences	jomalāt	جُمَلات
question	porsesh	پُرسش
answer	pāsokh	پاسُخ
to pronounce (noun تَلَّفُظ)	talafoz kardan	تَلَّفُظ کردن
to spell (noun هِجّی)	hejji kardan	هِجّی کردن
to speak (زَن is the root of زَدَن)	harf zadan	حَرف زَدَن

ن این یک حرف است . حرف فارسی N است.

د این هم حرف است . حرف فارسی D است.

س ر ل اینها حروف فارسی S - R - L هستند.

میز این یک کلمه است.

خوب این هم یک کلمه است.

کلمه‌ی میز سه حرف دارد. آن را تلفظ کنید

کلمه‌ی خوب را تلفظ کنید.

حالا کلمه‌ی میز را هجی کنید:م - ی - ز (میم - یِ - زَ)

کلمه‌ی خوب را هجی کنید: خ - و - ب (خِ - او - بِ)

من کتاب می‌خوانم. این یک جمله‌ی فارسی است.

چه می‌کنید؟ این هم یک جمله است و این جمله یک پرسش است.

فارسی یاد می‌گیرم. این جمله پاسخ آن جمله است و این جمله

سه کلمه دارد.

کطاب این کلمه درست نیست . کتاب را با ت می نویسیم نه با ط.

با ط ننویسید. غَلَط است . درست نیست.

او یک کتاب دارم. این جمله درست نیست.

جمله‌ی درست این است او یک کتاب دارد.

آیا این جمله درست است؟ ما فارسی یاد می‌گیریم.

بله درست است.

آیا این کلمه درست است یا غلط؟ سَندلی

غلط است. درست آن صندلی است .

در کلاس انگلیسی حرف می‌زنید یا فارسی؟

در این جا انگلیسی حرف نمی‌زنیم، فارسی حرف می‌زنیم.

الفبای فارسی چند حرف دارد؟ ....

الفبای انگلیسی چند حرف دارد؟ ....

من انگلیسی و فارسی حرف می‌زنم ، شما چطور؟

در این جا چند نفر انگلیسی حرف می‌زنند؟

چند نفر فارسی؟...............

چند نفر انگلیسی و فارسی؟ ....

●Exercises   تمرین ها●

تمرین ۱ این کلمات را تلفظ کنید:

آفتاب āftāb –موش mush –نفت naft

لانه lāne – دانِستَن dānestan

تمرین ۲ این کلمات را هجی کنید:

می‌رود – گوش – نَدارد – سَرو – نَرم

تمرین ۳ این حروف را بخوانید:

ش – ژ – ض – خ – ه – ث – ح

تمرین ۴   Give the ordinal numbers of these :

۷– ۱۲ – ۱۹ – ۲۴ – ۶۸ – ۱۰۱

تمرین ۵ Fill in the blank spaces in these sentences:

۱- ب حرف .... الفبای فارسی است .

۲- الفبای فارسی .... حرف ....

۳- .... سوم کتابچه .... است .

۴- آیا .... فارسی .... می زند؟

۵- .... ایران .... فارسی ....

تمرین ۶ با هر کلمه یک جمله بسازید:

زیر

دارند

پنجره

بیاور

نیست

درسِ هَشتُم

Human being   اِنسان

این یک تصویر است.

تصویر یک گل است.a flower.

تَصویر = عکس

مرد
Man

این تصویر یک مرد است.

او چند سال دارد؟

How old is he?

او یک مرد پیر است.

او هشتاد سال دارد.

سال =year

زن
Woman

این تصویر یک زن است.

او چند سال دارد؟

این زن هم پیر است.

او هفتاد و پنج سال دارد.

مرد
Man

این تصویر یک مرد است.

او چند سال دارد؟

او یک مرد جوانِ است.

او چهل سال دارد.

زن
Woman

اینهم تصویر یک زن است.

سن او چقدر است؟

سن = age

چقدر؟ = how much?

این زن جوان است.

او سی سال دارد.

پِسَر
boy

این تصویر یک پِسَر است.

او پانزده ساله است.

این پِسَر پانزده سال دارد.

دُختَر
girl

این تصویر یک دُختَر است.

او دوازده ساله است.

این دُختَردوازده سال دارد.

کودَک

child

این تصویر یک کودک است.

سِن این بچه چقدر است؟

اویک کودک چهار ساله‌است.

کودک = بچه

او چهار سال دارد.

نوزاد

baby

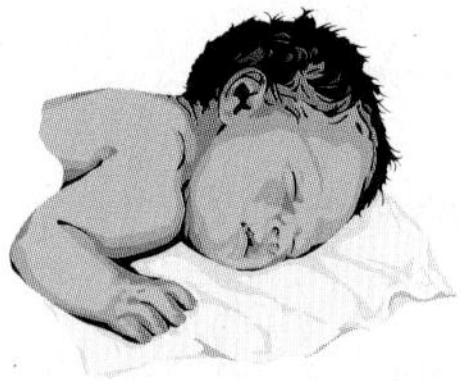

این تصویر یک نوزاد است.

سِن او چقدر است؟

او کوچک است . یک بچه کوچک.

او یک سال هم ندارد.

شش ماهه است.

به این تصویر نگاه کنید:

Look at = نگاه کنید

در این تصویر چند نفر هستند؟ ....   درست است.

چند مرد؟........................   درست است.

چند زن و دختر؟ ....   نه ، درست نیست . غلط است.

چند کودک؟ ....   بله

چند نوزاد؟ ....   درست است.

پیرها چند نفر هستند؟ ....

جوان‌ها چند نفر هستند؟ ....   (چند نفرند)

بچه ها و نوزاد ها چند نفرند؟ ....

در کلاس ما چند شاگرد هستند؟ ....

چند معلم یا استاد؟ ....   مُعَلِّم = اُستاد

The teacher teaches the words rāst راست and chap چپ and

then tarafe rāst طرف راست and tarafe chap طرف چپ with the aid

of his arm, hand, room and whiteboard.

Exercises تمرین‌ها

تمرین ۱ این‌ها پرسش است، پاسخ را بلند بدهید و بعد بنویسید:

دراین تصویر چند نفر هستند؟ .... چند زن و مرد؟ ....

چند پسر؟ .... چند دختر؟ ....

آیا در این عکس پیرمرد هم هست؟ ....

پیرزن چطور؟ ....

زن جوان کدام طرف است؟ .... Which side ؟ =کدام طرف؟

مرد جوان کدام طرف است؟ ....

پسرها کدام طرف هستند؟ ....

دخترها کدام طرف هستند؟ .... آیا آن‌ها جوان هستند یا پیر؟ ....

تمرین ۱ پاسخ این پرسش ها را بنویسید:

۱ – سن شما چقدر است؟

۲ – آیا معلم شما مرد است یا زن؟

۳ – آیا او پیر است یا جوان؟

۴ – نام کوچک و فامیلی او چیست؟

۵ – نام کوچک و فامیلی شما چیست؟

درس نُهُم

خانواده Family

family	khānevāde	خانواده
wife	zan	زن
husband	shohar	شوهَر
wife	hamsar	هَمسَر
Mr.	āghā	آقا
Mrs.	khānum	خانم
marriage	ezdevāj	اِزدواج
round	dow	دور
sittign	neshaste	نشسته
children	farzand	فرزند
pertaining to a family	khānevādegi	خانوادگی
father	pedar	پِدر
mother	mādar	مادر

son	pesar	پسر
daughter	dokhtar	دختر
brother	barādar	برادَر
sister	khāhar	خواهَر
what relationship?	che nesbati	چه نسبتی
standing	istāde	ایستاده
twins	dogholu	دو قلو

این تصویر یک خانواده است.

این خانواده‌ی آقای شریف است .

نام کوچک او ناصر است.

او ایستاده است، و با خانم خود حرف می‌زند.

خانم شریف پشت میز نشسته، وبا شوهر خود حرف می‌زند.

نام کوچک او پوران است.

آن‌ها ۱۵ سال است با هم ازدواج کرده‌اند.

آن‌ها چهار فرزند دارند: دو پسر و دو دختر.

The words پسر and دختر in general mean "boy" and "girl" but

in relation to their parents they mean "son" and "daughter".

پسرها دو قلو هستند و نام آن‌ها اَحمَد و مُحَمَّد است.

آن‌ها دوازده سال دارند.

نام دختر بزرگ مریم است و ده سال دارد.

نام دختر کوچک زَهرا است و چهار ساله است.

؟ پرسش‌ها

آیا آقای شریف نشسته است یا ایستاده؟

چند نفر نشسته‌اند ؟ کی‌ها ؟

آقا و خانم شریف چه می‌کنند؟

پوران نام کیست؟

ناصر نام کیست؟

پوران و ناصر چه نسبتی دارند؟

محمد چه نسبتی با احمد دارد؟

احمد چه نسبتی با مریم دارد؟

محمد چه نسبتی با مریم و زهرا دارد؟

مریم و زهرا چه نسبتی با هم دارند؟

آن‌ها چه نسبتی با آقا و خانم شریف دارند؟

آقا و خانم شریف چه نسبتی با این چهار بچه دارند؟

● Exercises   تمرین‌ها ●

تمرین ۱ پاسخ این پرسش‌ها را بدهید و بعد بنویسید:

۱- خانم شریف در این تصویر چه می‌کند؟

۲- دو قلو ها چه می‌کنند؟

۳- مریم چه می‌کند؟

۴- آیا زهرا کتاب می‌خواند؟ نه، .... عروسک بازی ....

۵- نام این خانواده چیست؟

تمرین ۲ پرسش از چند شاگرد کلاس:

نام خانوادگی شما چیست؟

نام کوچک پدر شما چیست؟

آیا شما خواهر و برادر دارید؟

چند خواهر و چند برادر؟

برادر شما چند ساله است؟

خود شما چند ساله هستید؟

کدام برادر به مدرسه می‌رود؟

کدام خواهر به مدرسه می‌رود؟

آیا پدر شما کار می‌کند؟

چه کاری؟

آیا مادر شما هم کار می‌کند؟

کار در خانه؟

آیا او یک خانم خانه‌دار است؟

پدر و مادر شما چند فرزند دارند؟

درس دَهُم

بَستِگان Relatives

grandfather	pedarbozorg	پدر بزرگ
grandmother	mādarbozorg	مادر بزرگ
uncle (on father's side)	amu	عَمو
uncle (on mother's side)	dāi	دایی
aunt (on father's side)	ame	عَمه
aunt (on mother's side)	khāle	خاله
cousin	pesar amu	پسر عمو
cousin	dokhtaramu	دختر عمو
grand-child	nave	نَوه
bride	arus	عروس
building	sākhtemān	ساختمان
storey, floor	tabaghe	طبقه
ground floor	hamkaf	هَم کف

children	farzandān	فرزندان
to live	zendegi kardan	زِندِگی کردن
to love	dust dāshtan	دوست داشتن
happy	shād	شاد
with each other,together	bā ham	با هم
one another	yekdigar	یکدیگر

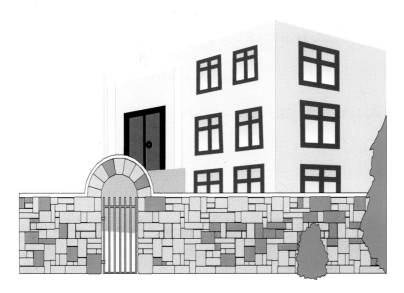

این یک ساختمان است.

این یک ساختمان سه طبقه است.

خانواده‌ی آقای حسین شریف در طبقه‌ی هم کف زندگی می‌کنند.

آقای حسین شریف وهمسرش و دخترش مهری در این طبقه زندگی می‌کنند.

دو پسر آن‌ها ناصر شریف و منصور شریف هستند. آن‌ها برادر هستند.

خانواده‌ی ناصر شریف در طبقه ی یکم زندگی می‌کنند و خانواده‌ی منصور شریف‌در طبقه‌ی دوم.

نام همسر ناصر پوران و نام همسر منصور پروین است.

آن‌ها با هم خواهرند.

این سه خانواده یکدیگر را دوست دارند و با هم شاد هستند.

ناصر دو پسر دو قلو دارد با نام اَحمد و محمد.

منصور یک پسر ۱۰ ساله دارد با نام ایرج و یک دختر ۸ ساله با نام روٌیا.

برادر پروین عباس نام دارد.

او همسر ندارد و با خانواده‌ی منصور زندگی می‌کند.

دختر آقای حسین شریف که مهری نام دارد، ازدواج نکرده و بیست سال دارد.

تمرین‌ها Exercises

تمرین ۱ پاسخ این پرسش‌ها را بدهید:

آقای حسین شریف چه نسبتی با بچه‌های ناصر و منصور دارد؟

خانم فاطمه شریف چه نسبتی با این بچه ها دارد؟

منصور چه نسبتی با بچه های ناصر دارد؟

ناصر چه نسبتی با فرزندان منصور دارد؟

آیا بچه‌ها عمه دارند؟ او کیست؟

آیا بچه‌ها خاله دارند؟ او کیست؟

آیا دایی هم دارند یا نه؟ اگر دارند او کیست؟

بچه‌ها چه نسبتی با آقای حسین شریف و همسرش دارند؟

The word خواهر زاده means the child of a sister

The word برادر زاده means the child of a brother

The word زن عمو means wife of paternal uncle

The word برادر شوهر means brother of one's husband

The word زن برادر means wife of a brother

تمرین ۲ پاسخ بدهید: (ی after عمو means "of")

زن عموی ِ محمد و احمد کیست؟

برادر شوهر پروین کیست؟

برادر زاده‌های ناصر چه کسانی هستند؟

زن برادر منصور چه نام دارد؟

خواهر زاده‌ی پوران کیست؟

For a shorter from of the following possessive adjectives

من	as in	پدر من
تو	as in	کتاب تو
او	as in	مادر او
ما	as in	میز ما
شما	as in	دختر شما
آن‌ها	as in	برادر آن‌ها

we may use the fallowing suffixes as a shorter form:

ـَم	as in pedaram	پِدَرم
ـت	as in ketābat	کِتابَت
ـش	as in mādarash	مادَرَش

مان	as in mizemān	میزمان
تان	as in dokhtaretān	دخترتان
شان	as in barādareshān	برادرشان

تمرین ۳ این پرسش‌ها را پاسخ بدهید:(Addressed to different pupils)

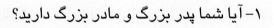

۱- آیا شما پدر بزرگ و مادر بزرگ دارید؟

۲- آیا شما عمو دارید؟

۳- نامش چیست؟

۴- نام خانوادگی‌ات چیست؟

۵- منزل پدرتان کجاست؟

۶- نام کلاسمان چیست؟

۷- نام خانواد گی ام را می‌دانید؟

۸- کتابشان به فارسی است یا انگلیسی؟

درس یازدهُم

(۱) بَدَن انسان Human body

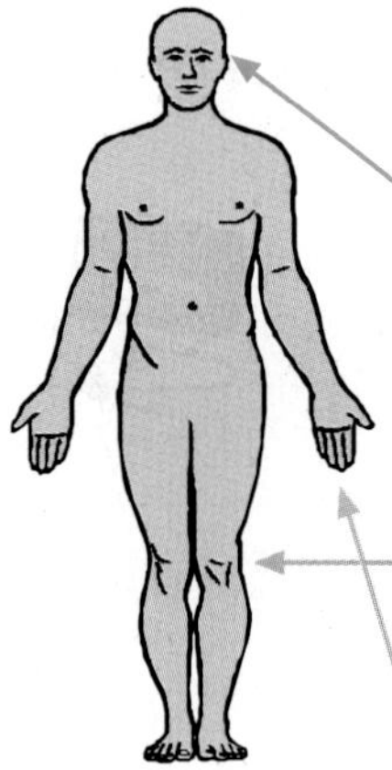

به این عکس نگاه کنید

این تصویر بدن انسان است.

این سرش است و این تنهٔ او.

این هم پاهای اوست : پای راست و چپ.

این هم دو دست اوست ، دست راست و دست چپ.

brain   maghz   مَغز

eye   cheshm   چَشم

ear	gush	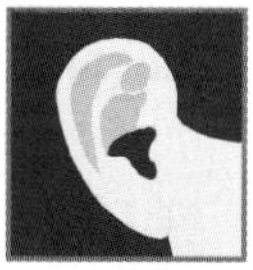	گوش
mouth	dahān		دَهان
tongue	zabān		زَبان
lip	lab	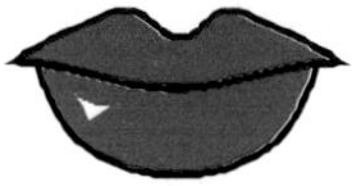	لَب
tooth	dandān	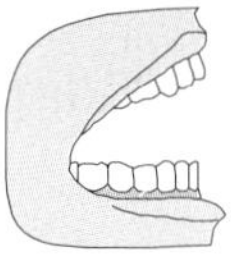	دَندان
nose	bini	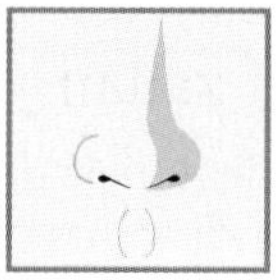	بینی
hand	dast		دست
foot, leg	pā	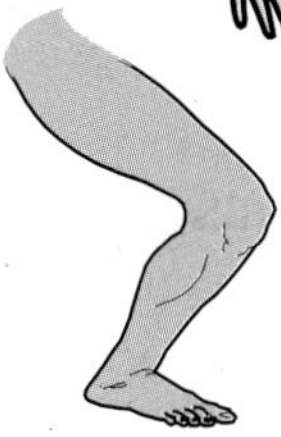	پا

مغز در سَر انسان است و با آن فکر می‌کنیم.

to think = فِکر کردن fekr kardan

thought = فِکر fekr

با چشم خود می بینیم و نگاه می‌کنیم.

to see = دیدن didan

to look = نگاه کردن negāh kardan

با گوش‌های خود می‌شنویم و گوش می‌دهیم .

to hear = شنیدن shenidan

to listen = گوش دادن gush dādan

با دهان خود حرف می‌زنیم ، غذا می‌خوریم ، می‌خندیم و آواز می‌خوانیم.

to speak = حرف زدن harf zadan

to eat = غذا خوردن ghazā khordan

to laugh = خندیدن khandidan

to sing = آواز خواندن āvāz khāndan

to read = خواندن khāndan

زبان و لب دندان به کارهای دهان کمک می‌کنند.

to help = کمک کردن komak دندان غذاها را می‌جود و نرم می‌کند.

to chew = جَویدن javidan

to soften = نَرم کردن narm kardan

لَب می‌بوسد و لبخند می‌زند.

to kiss = بوسیدن busidan

to smile = لبخند زدن labkhand zadan

بینی بو می‌کشد و بو می‌کند.

to smell = بو کشیدن bu keshidan

to smell an object = بو کردن bu kardan

با دست‌های خود کار می‌کنیم ، می‌نویسیم.

to work = کار کردن kār kardan

to write = نوشتن neveshtan

با پاهای خود راه می‌رویم و می‌دویم.

to walk = راه رفتن rāh raftan

to run = دویدن davidan

پرسش‌ها ؟

۱- این تصویر چیست؟ کارش چیست؟

۲- به این تصویر نگاه کنید: در آن چه می‌بینید؟

۳- این مرد چه می‌کند؟

۴- این دو نفر چه می‌کنند؟

۵- در این عکس چه می‌بینید؟

۶- این دختر چه می‌کند؟

۷- اینها چه می‌کنند؟

۸- این مردان چه می‌کنند؟

۹- دراین تصویر چیست؟

۱۰- این چه تصویری است؟

● Exercises تمرین‌ها

تمرین ۱ این کارها را انجام دهید:

۱- دست خود را بالا ببر.

۲- گوش چپ خود را با دست نشان بده.

۳-کدام چشم، چشم راست شماست؟

۴- هر دو چشم را ببندید . حالا هر دو را باز کنید.

۵- لبخند بزنید. آفرین. حالا بخندید.

۶- شما دو نفر در کلاس راه بروید و کمی بدوید. آفرین، ممنونم.

تمرین ۲ پاسخ این پرسش‌ها را بنویسید:

۱- با دندان خود چه می‌کنید؟.........................

۲- با کدام قسمت از بدن خود فکر می‌کنید؟.........................

۳- گوش چه کاری می‌کند؟.........................

۴- کار نوشتن با کدام قسمت از بدن انسان است؟.........................

۵-آیا در خیابان راه می‌روید یا می‌دوید؟.........................

درس دوازدَهُم

Human body بَدَن انسان (۲)

hair	mu	مو
tress, ringlet	gisu	گیسو
comb	shāne	شانه
arrange	moratab kardan	مرتب کردن
bald	tās	طاس
dye	rang kardan	رنگ کردن
eyebrow	abru	ابرو
moustache	sibil	سبیل
beard	rish	ریش
eyelash	mozhe	مژه
long	derāz	دراز
grow	ruidan	روییدن
scissors	gheichi	قیچی

forehead	pishāni	پیشانی
cheek	gune	گونه
face	surat	صورت
chin	chāne	چانه
neck	gardan	گردن
finger	angosht	انگُشت دست
arm	bāzu	بازو
thumb	shast	شَست
wrist	moch	مُچ دست
ankle	moche pā	مُچ پا
nail	nākhon	ناخُن
knee	zānu	زانو
toe	angoshte pā	انگُشت پا
elbow	ārenj	آرنج
thigh	rān	ران
shank	sāgh	ساق
forearm	sāed	ساعد

این تصویر مردی است با موی زیبا.

این هم یک شانه است.

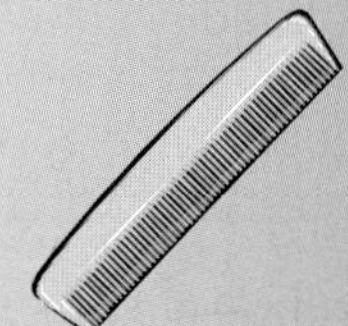

او با شانه موهای خود را مرتب می‌کند.

این تصویر مردی است که طاس است.

روی سرش مو ندارد.

شانه هم لازم ندارد.   لازم داشتن = to need

این یکی تصویر زنی است با موهای بلند.

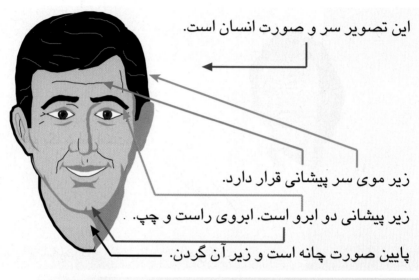

این تصویر سر و صورت انسان است.

زیر موی سر پیشانی قرار دارد.

زیر پیشانی دو ابرو است. ابروی راست و چپ.

پایین صورت چانه است و زیر آن گردن.

در این تصویر مردی را می‌بینید که سبیل دارد.

او سبیل‌اش را با قیچی مرتب می‌کند.

او ریش ندارد. ریش را می‌تراشد.

در این تصویر این مرد هم سبیل دارد و هم ریش.

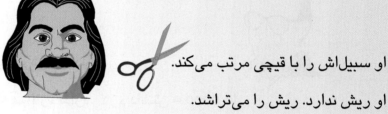

با این ریش تراش صورت را می‌تراشند.

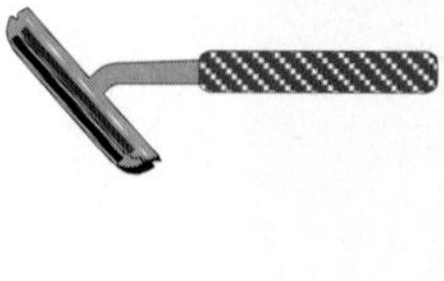

تراشیدن =to shave

او ریش‌خود را نمی‌تراشد.

در این جا قسمت‌های مختلف دست را می‌بینید.

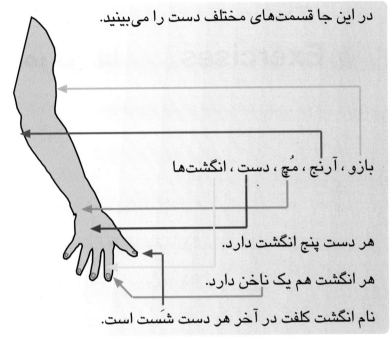

بازو ، آرنج ، مُچ ، دست ، انگشت‌ها

هر دست پنج انگشت دارد.

هر انگشت هم یک ناخن دارد.

نام انگشت کلفت در آخر هر دست شَست است.

در این تصویر قسمت‌های مختلف پای انسان را می‌بینید.

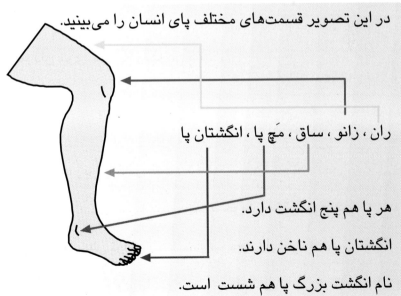

ران ، زانو ، ساق ، مَچ پا ، انگشتان پا

هر پا هم پنج انگشت دارد.

انگشتان پا هم ناخن دارند.

نام انگشت بزرگ پا هم شست است.

● تمرین‌ها   Exercises

تمرین ۱ پاسخ بدهید:

۱- نام موهای زیر پیشانی چیست؟

۲- موهای زیر بینی مردها چه نام دارد؟

۳- آیا همه‌ی مردها ریش و سبیل دارند؟

۴- مردها با موی صورت چه می‌کنند؟

۵- آیا زنان ریش وسبیل دارند؟

۶- آیا مردان موی خود را رنگ می کنند؟

تمرین ۲ جملات زیر را کامل کنید :

۱- با .... خود را مرتب می‌کنیم .

۲- با ریش تراش .... خود را ....

۳- قسمت بالای پا .... نام دارد .

۴- قسمت پایین بازو .... نام دارد.

۵- آرنج قسمتی از .... و .... از پا می‌باشد.

۶- .... چانه نام دارد.

۷- پاها و .... بیست .... دارند.

تمرین ۳ با هر یک از کلمات زیر یک جمله بسازید:

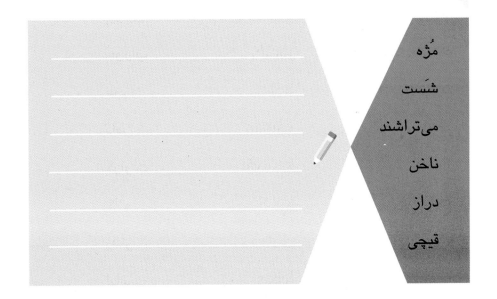

مُژه

شَست

می‌تراشند

ناخن

دراز

قیچی

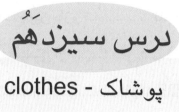

دَرسِ سیزدهُم

clothes - پوشاک

coat	kot	کُت
trousers	shalvār	شلوار
shirt	pirāhan	پیراهن
socks, stockings	jurāb	جوراب
blouse	boluz	بلوز
skirt	dāman	دامن
tie	kerāvāt	کراوات
hat	kolāh	کلاه
overcoat	pālto	پالتو
clothes	lebās	لِباس
to wear, to put on	pushidan	پوشیدن
to take off	kandan	کَندن
weather, air	havā	هوا

hot, warm	garm	گرم
cold	sard	سَرد
thin	nāzok	نازک
light	sabok	سَبُک
thick	koloft	کُلُفت
heavy	sangin	سَنگین
common	ādi	عادی

در تصویر سمت راست چند تا لباس عادی زنانه و در تصویر سمت چپ چند تا لباس‌عادی مردانه می‌بینید.

برای پوشاک انسان نام های زیادی هست.

اما در این درس همین چند تا را برای شما می‌نویسم.

در هوای گرم مردان و زنان لباس نازک و سبک می‌پوشند و در خانه هم

لباس کلفت را از تَن می‌کَنَند و لباس نازک و سبک به تن می‌کُنَند.

در هوای سرد لباس‌های کلفت و سنگین لازم است.

در هوای سرد، زنان و مردان بیرون خانه پالتو می‌پوشند و در خانه آن را

از تن بیرون می‌آورند. چون هوای داخل خانه گرم است و لباس کلفت لازم

نیست. این روزها زنان مسلمان بیرون خانه پوشاک دیگری را، هم هوای گرم

و هم در هوای سرد به تن می‌کنند.

دراین تصویر شکل آن‌ها را می بینید.

این زن روپوشی روی لباس خود به تن

دارد و سرش را با یک روسری پوشانده

است.

پوشاندن =to cover

they may not see = نبینند

کودک‌دراین تصویر چه می‌کند؟

چه لباسی به تن دارد؟

چه لباسی را کنده است؟

چه لباسی را دارد از تن بیرون

می کند؟

دراین تصویر این مرد چه می‌کند؟

او چه لباسی را به تن کرده؟

چه لباسی را دارد به تن می کند؟

چه لباسی را هنوز به تن نکرده است؟

● تمرین‌ها   Exercises ●

تمرین ۱ جملات زیر را کامل کنید:

۱- در هوای سرد .... می پوشیم.

۲- او .... لباس کلفت می پوشد.

۳- آن زن .... و .... به تن دارد.

۴- بلوز و .... پوشاک زنانه است.

۵- کراوات و .... پوشاک .... مردانه است.

The word کفش means "shoe" or "shoes", but when we refer to
their number we say یک جُفت meaning 'a pair of' or کفش ها meaning
either 'a pair' or 'several pairs'

تمرین ۲ به این پرسش‌ها پاسخ دهید:

۱- شلوار چه قسمتی از بدن را می‌پوشاند؟

۲- کُت چه قسمتی از بدن را می‌پوشاند؟

۳- جوراب چه قسمتی از بدن را می‌پوشاند؟

۴- کلاه برای چیست؟

۵- کفش برای چیست؟

تمرین ۳ برای پاسخ‌های زیر پرسش بنویسید:

۱- در بیرون اتاق است.   ؟_____

۲- روی صندلی است.   ؟_____

۳- نه ، نمی‌دانم.   ؟_____

۴- کفش‌های سیاه.   ؟_____

۵- بله، اینجاست.   ؟_____

درس چهاردَهُم

Time - زَمان

watch, clock, hour	sāat	ساعَت
day	ruz	روز
night	shab	شب
wrist (adj)	mochi	مُچی
wall (adj)	divāri	دیواری
minute	daghighe	دقیقه
second	sāniye	ثانیه
counting	shomār	شمار
hand	aghrabe	عقربه
to count	shomordan	شُمُردن
some	ba’zi	بعضی
to measure	sanjidan	سنجیدن
it works	kār mikonad	کار می‌کند

it has stopped	khābideh ast	خوابیده است
to wind up	kuk karda	کوک کردن
half	nim	نیم
a quarter	rob	رُبع
slow	kond	کُند
fast	tond	تُند
to put forward	jolo bordan	جلو بردن
to put back	aghab bordan	عَقَب بردن
automatic	khodkār	خودکار
battery	bātri	باطری

The words مُچ means 'wrist' as a noun, and with the addition of ی to become مُچی it becomes an adjective for ساعت meaning `wrist watch'. Simmilarly دیوار meaning `wall' becomes an adjective by adding ی to become دیواری as an adjective for ساعت meaning `wall clock'. When ی is added to a noun it means 'one' e.g. کتابی در دست من است here کتابی means `a book' and in pronuncing the word کتابی the stress is put on ی Listen to these examples:

I have a friend at school.   در مدرسه دوستی دارم.

There is a house there.   خانه ای در آنجاست.

He has no answer for you. پاسخی برای شما ندارد.

این درس، درس زمان و ساعت است.

این تصویر ساعت است و ساعت زمان را می‌سنجد.

تصویر شماره ۱ یک ساعت مچی است.

تصویر شماره ۲ یک ساعت دیواری است.

۱

۲

ساعت سه عقربه دارد:

عقربه کوچک و کلفت ساعت شمار است.

عقربه دوم دقیقه شمار است.

عقربه نازک و دراز ثانیه شمار می‌باشد.

هر ساعت ۶۰ دقیقه و هر دقیقه ۶۰ ثانیه است.

این تصویر چه ساعتی را نشان می‌دهد؟

این تصویر ساعت ۱ را نشان می‌دهد.

این تصویر ساعت سه و نیم را نشان می‌دهد.

ساعت سه و سی دقیقه (نیم = ۱/۲)

1/2 of 60 = 30

این تصویر ساعت هفت و ربع را نشان می‌دهد.

ساعت هفت و پانزده دقیقه (رُبع = ۱/۴)

a quarter of 60 = 15

این تصویر ساعت یک رُبع به نُه را نشان می‌دهد.

یا ساعت هشت و ۴۵ دقیقه a quarter to nine

این تصویر ساعت یازده و ۳۲ دقیقه را نشان

می‌دهد.

نو = new   بایَد = should   گذاشتن = to put - to use   شایَد =maybe

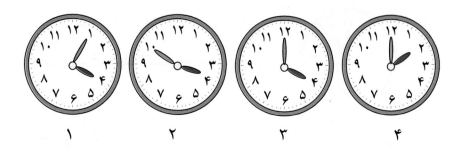

۱   ۲   ۳   ۴

در این چهار تصویر ساعت شماره دو ساعت درست را نشان می‌دهد.

ساعت شماره ۱ پنج دقیقه تند است. باید آنرا پنج دقیقه عقب ببریم.

ساعت شماره ۳ ده دقیقه کند است. باید آنرا ده دقیقه جلو ببریم.

ساعت شماره ۴ دوساعت عقب است.

شاید خوابیده است و کار نمی‌کند.

باید باطری آن را عوض کرد.

● Exercises   تمرین‌ها ●

تمرین ۱ این تصویرها چه ساعتی را نشان می دهند؟ پاسخ‌ها را بلند

بگویید و بنویسید:

تمرین ۲ این ساعت‌ها را بخوانید:

۱۱/۰۳	۱۰/۵۷	۹/۴۵	۸/۰۹	۷/۱۸
۱/۵۹	۶/۰۰	۱۲/۰۰	۵/۱۵	۱۲/۳۰

تمرین ۳ به پرسش‌های زیر پاسخ دهید:

۱- آیا شما ساعت دارید ؟ نام ساعت شما چیست؟

۲- ساعت شما حالا چه ساعتی را نشان می‌دهد؟

۳- ساعت من درست است . آیا ساعت شما هم درست است؟

یا کُند است؟ یا تند است؟ نخوابیده است؟ کار می‌کند؟

۴- ساعت برای چه کاری خوب است؟

۵- یک شب و یک روز چند ساعت است؟

۶- یک ساعت و نیم ، چند دقیقه است؟

۷- دو دقیقه چند ثانیه است؟

۸- نام سه عقربه‌ی ساعت چیست؟

۹- هر عقربه چه چیزی را نشان می دهد؟

۱۰- آیا در خانه‌ی خود ساعت دیواری دارید؟

درس پانزدَهُم

Days of week - روزهای هفته

شنبه	shanbe	Saturday
یکشنبه	yekshanbe	Sundayz
دوشنبه	doshanbe	Monday
سه شنبه	seshanbe	Tuesday
چهار شنبه	chāhārshanbe	Wednesday
پنجشنبه	panjshanbe	Thursday
جمعه	jom'e	Friday
امروز	emruz	to-day
امشب	emshab	to-night
صبح	sobh	morning
ظهر	zohr	noon
تعطیل	tatil	holiday
خورشید	khorshid	sun

آفتاب	āftāb	sunshine
اَبر	abr	cloud
آفتابی	āftābi	sunny
آبری	abri	cloudy
طُلوع کردن	tolu kardan	to rise
غُروب کردن	ghorub kardan	to set
ماه	māh	moon, month
ستاره	setāre	star
غروب	ghorub	evening
روشن	rowshan	bright
تاریک	tārik	dark
آسمان	āsemān	sky

هر هفته هفت روز است و روزهای آن این هاست: روز اول هفته شنبه

نام دارد و روز اول کار در هفته است. روز دوم هفته یکشنبه، روز سوم

دوشنبه، روزچهارم سه شنبه، روز پنجم چهار شنبه، روز ششم پنجشنبه

و روز هفتم جمعه است. در ایران روز جمعه تعطیل است.

در این تصویر خورشید در آسمان است.

آفتاب همه جا را روشن می‌کند.

هوا آفتابی و گرم و خوب است.

دراین تصویر ابر در آسمان است.

ولی هوا روشن است.

چون خورشید از زیر ابرها همه جا را روشن می‌کند.

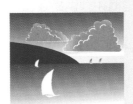

در این تصویر هوا ابری است.

زمین زیاد روشن نیست و خورشید را نمی بینید.

The words ابری and آفتابی are adjectives for ابر and آفتاب

این تصویر شب است.

در آسمان ماه و ستاره می‌بینید.

چون ابر در آسمان نیست.

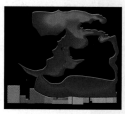

در این تصویر شب تاریک را می‌بینید.

چون هوا ابری است، همه جا تاریک است.

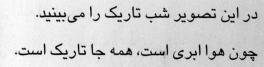

در این تصویر خورشید طلوع می‌کند.

ساعت چه زمانی را نشان می دهد؟

درست است. ساعت ۶ صبح است.

زمانی که خورشید طلوع می‌کند.

در این تصویر غروب آفتاب است.

ساعت چه زمانی را نشان می‌دهد؟

ساعت ۷ درست است . حالا غروب است.

در این ساعت خورشید غروب می‌کندو

هوا تاریک می شود.

حالا خورشید کجاست؟

میان آسمان است . بله ، حالا ظهر است.

ساعت ۱۲ ظهر امروز.

در این تصویر چه ساعتی را می بینید؟

این هم ساعت ۱۲ را نشان می‌دهد.

ولی ساعت ۱۲ شب است . یعنی نیمه شب.

the word   یعنی   means 'that is to say' or 'meaning'.

● تمرین‌ها Exercises

تمرین ۱ به پرسش‌های زیر پاسخ دهید:

۱- امروز چه روزی از هفته است؟

۲- چه روزی در هفته تعطیل است؟

۳- چه روزی کار را در هفته آغاز می‌کنیم؟

۴- روز های کار چند روز هستند؟

۵- فردا چه روزی است؟

آغاز کردن = to begin

تمرین ۲ پاسخ این پرسش‌ها را بنویسید:

۱- آیا امروز آفتابی است یا ابری؟ _____

۲- آیا امشب هوا تاریک است یا روشن؟ _____

۳- این روز ها چه ساعتی خورشید طلوع می‌کند؟ _____

۴- غروب آفتاب چه ساعتی است؟ _____

۵- آیا این شب ها ماه را در آسمان می‌بینید؟ _____

تمرین ۳ برای پاسخ‌های زیر پرسش بنویسید:

۱- هفت روز است.

۲- ساعت ۱۲ روز است.

۳- ساعت ۱۲ شب است.

سخن ناشر

مجموعه‌ی آموزشی «فارسی آسان» برای تدریس زبان فارسی به غیرفارسی‌زبانان با استفاده از زبان انگلیسی تهیه شده است و شامل پنج کتاب درس، راهنمای معلم و نوارهای صوتی و تصویری می‌باشد. در این مجموعه زبان‌آموزان علاوه بر آشنایی با ساختارهای پایه‌ی زبان فارسی، خط، شیوه‌ی نگارش، کاربرد زبان در موقعیت‌های زندگی واقعی و تمرین چهار مهارت اصلی زبان، به طور مختصر با مکان‌های تاریخی و دیدنی، آیین‌ها و آداب و رسوم ایران نیز آشنا می‌شوند. نوارهای صوتی و تصویری مجموعه‌ی «فارسی آسان» با همکاری افراد خبره‌ای تهیه شده است که علاوه بر تسلط مثال‌زدنی به زبان فارسی و انگلیسی با فن‌آوری روز نیز به خوبی آشنایی داشته‌اند.

زنده‌یاد دکتر علاءالدین پازارگادی پس از اخذ مدرک دکترا از دانشگاه منچستر، علاوه بر ترجمه‌ی آثار ارزنده‌ی ادبی به زبان فارسی، سال‌ها به تدریس زبان در دانشگاه تهران اشتغال داشت. مجموعه‌ی «فارسی آسان» حاصل تلاش این استاد گرانقدر می‌باشد که برپایه‌ی دانش وی در زمینه‌ی زبان‌های زبان فارسی و انگلیسی و آشنایی با نیاز زبان‌آموزان شکل گرفته است. گفتنی است که یکی از آخرین آرزوهای استاد این بود که چاپ اثر حاضر را تا وقتی که در قید حیات است به چشم خود ببیند اما صد افسوس که اجل مهلت نداد و این مجموعه پس از درگذشت وی به چاپ می رسد.

امید است انتشارات رهنما با ارائه این مجموعه توانسته باشد طرحی نو در آموزش زبان شیرین فارسی ارایه داده و گامی هرچند کوچک در جهت شناساندن فرهنگ ایرانی به آنسوی مرزهای این کهن مرز و بوم برداشته باشد.

محمد جواد صبائی

پازارگادی، علاءالدین، ۱۲۹۲ - ۱۳۸۳ .
فارسی آسان: کتاب دوم/ تألیف علاءالدین پازارگادی؛ طراحی و صفحه‌آرایی سارا نامجو؛ ۱۳۴۹ - - تهران: رهنما، ۱۳۸۵.
۹۷ ص.: مصور، جدول.
ISBN 964-367-202-6
فهرستنویسی براساس اطلاعات فیپا.
عنوان دیگر: فارسی آسان (کتاب دوم).
ص.ع. به انگلیسی: Alaeddin Pazargadi. Easy Persian: Book2.
۱. فارسی - - کتاب‌های درسی برای خارجیان - - انگلیسی. ۲. فارسی - - راهنمای آموزشی - - خارجیان. ۳. فارسی - - مکالمه و جمله‌سازی - - انگلیسی. ٤. فارسی - - راهنمای آموزشی. الف. عنوان.
۲۵۳پ۸الف/ PIR ۲۸۲۹ ۸/۲٤۲۱فا٤
کتابخانه ملی ایران ۸۵-۱۶۷۸۸م

No. 220, Shohadaye Zhandarmerie St. (Moshtagh St.), Between Farvardin & Fakhre Razi, Enghelab Ave., Oppo. Tehran University, Tehran, Iran.
P.O. Box: 13145/1845-Tel: (021) 66416604-66400927-66481662
E-mail: info@rahnamapress.com
http://WWW.RAHNAMAPRESS.COM

فارسی آسان (کتاب دوم) ، مؤلف: دکتر علاءالدین پازارگادی، لیتوگرافی: واصف، چاپ: چاپخانه هاتف، تیراژ: ۲۲۰۰ نسخه، چاپ اول: تابستان ۱۳۸۵، ناشر: انتشارات رهنما، مقابل دانشگاه تهران، خیابان فروردین، نبش خیابان شهدای ژاندارمری، پلاک ۲۲۰، تلفن: ۶۶۴۰۰۹۲۷ ، ۶۶۴۱۶۶۰۴ ، ۶۶۴۸۱۶۶۲ ، فاکس: ۶۶۴۶۸۱۹۴ فروشگاه رهنما، سعادت‌آباد، خیابان علامه طباطبایی جنوبی، پلاک ۸ ، تلفن: ۸۸۶۹۴۱۰۲ ، شماره تلفن فروشگاه شماره ۴: ۶۶۴۱۶۴۳۲ ، نمایشگاه کتاب رهنما، مقابل دانشگاه تهران پاساژ فروزنده، تلفن: ۶۶۹۵۰۹۵۷
شابک: ۶-۲۰۲-۳۶۷-۹۶۴

حق چاپ برای ناشر محفوظ است

قیمت: ۱۵۰۰۰ ریال

فارسی آسان

کتاب دوم

تألیف دکتر علاءالدین پازارگادی